6 这是我的书 It's MY BOOK 6级：300字

比尔的小魔盒

作者：程以克（Vicki Cheng）
插图：胡浩楷（Taylor Wu）

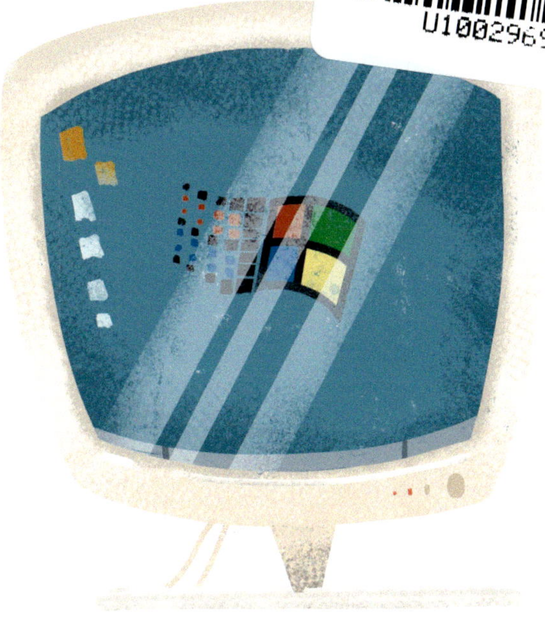

北京语言大学出版社
BEIJING LANGUAGE AND CULTURE UNIVERSITY PRESS
PHOENIX TREE
PHOENIX TREE PUBLISHING INC.

识 读 书房 认真 发生 以后

句 型 一边……，一边……

字 数 296字

qī suì de bǐ ěr gài cí zhǎng zhe yì tóu shā sè de
七岁的比尔·盖茨长着一头沙色的

tóu fa tā xǐ huan wán gèng xǐ huan kàn shū tā zuì
头发。他喜欢玩，更喜欢看书。他最

ài kàn de shì bà ba shū fáng li nà běn yòu dà yòu zhòng
爱看的是爸爸书房里那本又大又重

de shū
的书。

zhè běn shū jiào shì jiè dà bǎi kē quán shū lǐ
这本书叫《世界大百科全书》，里
miàn jiǎng de shì cóng gǔ dào jīn wú suǒ bù bāo de
面讲的是从古到今、无所不包的
zhī shi
知识。

yǒu shí hou bǐ ěr huì zuò zài shū fáng hǎo jǐ gè xiǎo
有时候，比尔会坐在书房好几个小

shí yí dòng yě bú dòng rèn zhēn de dú zhè běn bǎi
时，一动也不动，认真地读这本百

kē quán shū
科全书。

bǐ ěr yì biān dú yì biān xiǎng zhè běn shū ràng wǒ kàn dào
比尔一边读一边想：这本书让我看到
le yí gè duō me dà de shì jiè a shū li xiǎo xiǎo de wén
了一个多么大的世界啊！书里小小的文
zì kě yǐ jì xia hěn duō nián qián fā shēng de shì yě
字，可以记下很多年前发生的事，也
kě yǐ jì xia dì qiú shang měi gè dì fang fā shēng de shì
可以记下地球上每个地方发生的事。

yǐ hòu tiān xià de shì qing huì yuè lái yuè duō yào
以后，天下的事情会越来越多。要
jì xia zhè me duō shì qing zhè běn shū bú jiù huì yuè
记下这么多事情，这本书不就会越
lái yuè dà yuè lái yuè zhòng le ma
来越大、越来越重了吗？

kàn zhe bà ba shū fáng li de zhè běn shū bǐ ěr xiǎng
看着爸爸书房里的这本书，比尔想：
yào shi yǒu gè xiǎo mó hé jiù hǎo le nà yàng jiù
要是有个小魔盒就好了，那样就
kě yǐ bǎ bǎi kē quán shū li de dōng xi quán dōu fàng
可以把百科全书里的东西全都放
jìn qu le
进去了。

xiàn zài bǐ ěr qī suì shí de mèng xiǎng shí xiàn le
现在，比尔七岁时的梦想实现了。

bǐ ěr hé tā de tóng bàn men ràng diàn nǎo zǒu jin le měi gè rén de jiā diàn nǎo bú dàn néng zhuāng xia bǎi kē quán shū hái kě yǐ zhuāng xia gèng duō yǒu yòng de dōng xi
比尔和他的同伴们让电脑走进了每个人的家。电脑不但能装下百科全书，还可以装下更多有用的东西。

1 七岁的比尔·盖茨长着一头沙色的头发。他喜欢玩，更喜欢看书。他最爱看的是爸爸书房里那本又大又重的书。

2 这本书叫《世界大百科全书》，里面讲的是从古到今、无所不包的知识。

3 有时候，比尔会坐在书房好几个小时，一动也不动，认真地读这本百科全书。

4 比尔一边读一边想：这本书让我看到了一个多么大的世界啊！书里小小的文字，可以记下很多年前发生的事，也可以记下地球上每个地方发生的事。

5 以后，天下的事情会越来越多。要记下这么多事情，这本书不就会越来越大、越来越重了吗？

6 看着爸爸书房里的这本书，比尔想：要是有个小魔盒就好了，那样就可以把百科全书里的东西全都放进去了。

7 现在，比尔七岁时的梦想实现了。比尔和他的同伴们让电脑走进了每个人的家。电脑不但能装下百科全书，还可以装下更多有用的东西。

1

2

3

4

5

6

看图讲故事

7